EL VECINO DEL QUINTO

Lourdes Miquel y Neus Sans

EL VECINO DEL QUINTO

Serie "Plaza Mayor, 1"
Dirigida por Lourdes Miquel y Neus Sans

Diseño de la colección: Ángel Viola
Maquetación: Juan Carlos Pardillo
Fotografías: García Ortega (cubierta, plaza Mayor),
Kirill Zdorov/Dreamstime.com; (cubierta, hombre),
Victoria Rachitzky/Flickr (página 25). Todas las fotografías
de www.flickr.com están sujetas a una licencia de Creative
Commons (Reconocimiento 2.0 y 3.0); Pipo (página 39).

© Lourdes Miquel y Neus Sans
DIFUSIÓN, Centro de Investigación y Publicaciones
de Idiomas, S. L.
Barcelona, 1994

Nueva edición: julio 2008

ISBN: 978-84-87099-06-9
Depósito Legal: B-35.858-2008
Impreso en España por TESYS

difusión

Centro de
Investigación y
Publicaciones
de Idiomas, S. L.

C/ Trafalgar, 10, entlo. 1ª
08010 Barcelona
Tel. (+34) 93 268 03 00
Fax (+34) 93 310 33 40
editorial@difusion.com

www.difusion.com

1

–Buenos días –dice un hombre joven y guapo.

–Buenos días –contesta la portera.

–¿Qué piso alquilan?

–El quinto derecha.

–¿Es exterior?

–Sí, tiene dos balcones y tres ventanas que dan a la calle.

–¿Y puedo verlo ahora?

–Sí, claro, ahora mismo.

Entran los dos en el ascensor. La escalera es antigua, pero bonita.

–Pase, pase.

–Gracias.

Ya en el quinto, la portera mete la llave en la cerradura de la puerta. José Moyano lo va mirando todo: el portal, la puerta del ascensor, la escalera, todo.

"Todos los días –piensa–. Tengo que ver esto todos los días." Y le gusta la idea. Le gusta vivir en el centro de las ciudades, en casas con sol y pisos de techos altos, le gusta tener portera y saludarla al salir y al entrar, y también le gusta subir en ascensor y bajar a pie.

Cuando la portera abre la puerta, José ve un enorme salón con mucha luz. Y piensa: "Lo alquilo." Pero no dice nada todavía. Lo va mirando todo tranquilamente. El piso tiene cuatro dormitorios grandes, un comedor, una cocina y dos baños, además del salón.

–¿Vive usted solo? –le pregunta la portera.

–Sí.

–Pues es un poco grande para una persona sola.

"Portera pesada y curiosa", piensa José, pero dice:

–Me gustan los pisos muy grandes.

Un rato después salen del piso y bajan a la portería.

–Bueno –dice José–, pues muchas gracias. Tenga, esto es para que tome algo[1].

–No, por favor.

–Sí, mujer sí. Seguramente nos vamos a ver mucho. Voy a alquilarlo.

–Me alegro. Pero es muy grande para una persona sola. Claro que en el segundo y en el cuarto también viven dos personas solas...

–Bueno, adiós y hasta pronto.

–Adiós, adiós.

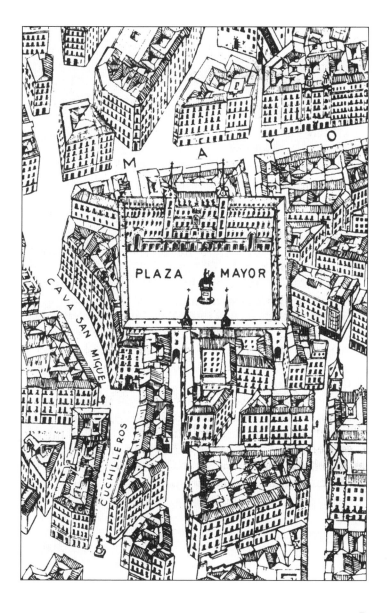

2

–Hola, Josefa, buenos días –le dice una jovencita muy rubia a la portera–. ¿Quién es ese chico tan alto?

–El vecino del quinto.

–¿Ya vive aquí?

–No, todavía no. Ha venido a ver el piso.

–¿Y piensa alquilarlo?

–Sí, seguro.

–¡Qué bien! Por fin un vecino guapo... –dice Clara–. Pero seguro que está casado...

–No, vive solo. Me lo ha dicho él. Imagínate, ¡cuatro dormitorios para él solo...!

–¿Vive solo? Huy, qué bien. Hasta luego, Josefa –dice Clara y se va corriendo.

–Hasta luego.

Clara sube a pie porque va al primero y le gusta hacer un poco de ejercicio. Tiene quince años y es la hija mayor de la familia Muñoz, un matrimonio de unos cincuenta años que vive en el primero izquierda desde hace muchos años. Son los vecinos más antiguos de la escalera y todo el mundo los conoce porque, además, tienen cinco hijas guapísimas, que hablan muy alto, se ríen mucho, gritan mucho y se enamoran de todos los chicos del barrio. Y casi todos los chicos del barrio se enamoran de ellas.

3

Clara entra en su casa.

–Hola a todos –grita desde la entrada.

–Hola –contestan varias personas desde distintos lugares de la casa.

En su dormitorio está María, una hermana que tiene dos años menos que Clara. Está escuchando música, un rock bastante duro, y leyendo cómics.

–¿Sabes una cosa, María? En el quinto va a vivir un hombre guapísimo, guapísimo.

–¿Cómo lo sabes?

–Lo he visto.

–¿Y cuántos años tiene?

–Unos cuarenta.

–¿Cuarenta? Es demasiado mayor. No me gustan los hombres de cuarenta. A mí me gustan de veinte o veinticinco, como mucho.

–Pues a mí me encantan los hombres maduros.

–Lígatelo[2].

–Eso voy a hacer.

–¿Está casado?

–Dice Josefa que no, que vive solo.

–¿En un piso tan grande?

–Hay gente que prefiere los pisos grandes.

–Claro, claro –dice María sin ganas de seguir hablando de ese desconocido–. A lo mejor tiene novia.

–Bueno, ¿y si tiene novia qué? –Clara parece un poco enfadada.

–Nada, que si tiene novia, lo tienes un poco difícil, nena.

–Tú espera un poco.

–Vale.

María sube un poco el volumen del tocadiscos y Clara se va al lavabo a peinarse y a mirarse en el espejo.

4

–Adiós, Josefa. Hasta el martes que viene.

–Adiós, Maruja. Hasta el martes.

Maruja es la asistenta[3] de Irene Vázquez, una profesora de treinta y cuatro años que vive sola en el tercero derecha. Todos los martes Maruja está cuatro o cinco horas limpiando en casa de Irene. Maruja vive en las afueras de Madrid, bastante lejos de la Plaza Mayor.

Maruja cruza la plaza, llena de gente sentada en las terrazas de los bares tomando cervezas. Cervezas y el sol, ese sol de finales de septiembre. Delante de la Casa de la Panadería[4], unos obreros están preparando un escenario para los Festivales de Otoño. En la Plaza Mayor siempre hay algún acontecimiento que celebrar.

Al otro lado de la plaza, cerca de la plaza de San Miguel, está la parada del autobús de Maruja y, al lado de la parada, hay un quiosco lleno de periódicos, revistas y libros de bolsillo[5]. Allí está trabajando Rubén, el quiosquero. Rubén conoce a Maruja porque todos los martes le compra libros. A Maruja le encanta leer novelas en el autobús.

–Esta no es muy buena, Maruja. No la compres –dice Irene.

–Hola, Irene, ¿cómo está?[6] –dice Maruja, sorprendida, dejando la novela encima de un montón de libros.

–Muy bien, ¿y tú?

–Muy bien. Ahora salgo de su casa.

–¿Y vas a otro sitio o ya te vas a casa?

–Me voy a casa. A preparar la comida, que a las tres y media llega Manolo.

–¿Manolo no cocina nunca?

–¿Manolo cocinar? No sabe hacer ni un huevo frito.

–Los hombres... El *Diario 16*[7] y esta novela –le dice Irene al quiosquero.

–Quinientas ochenta.

–Toma. Te lo doy justo[8]. Toma, Maruja, la novela es para ti. Es muy buena. Te va a gustar –le dice Irene a la asistenta.

–No, Irene, no[9]. De verdad.

–Toma, mujer.

–Muchas gracias, Irene. Es usted muy amable.

–Bueno, Maruja, que vas a llegar tarde.

–Adiós, Irene. Y muchas gracias.

5

Los viernes por la tarde la Plaza Mayor está aún más llena de gente: jóvenes tomando cervezas y Coca-Cola, patatas fritas y aceitunas; grupos de amigos buscando restaurantes con mesas libres para cenar; viejecitos paseando; alguna viejecita dando comida a las palomas; turistas haciendo fotos, ... Solo la estatua del centro de la plaza está quieta[10].

–Hola, buenas tardes, ¿se acuerda de mí? –le pregunta José a la portera.

–Buenas tardes. Claro que me acuerdo. ¿Va a alquilar el piso?

–Por eso he venido. Ya lo he alquilado. Y los pintores van a venir el próximo lunes. Piensan terminar el miércoles por la tarde y el viernes quiero traer mis cosas.

–El viernes.

–Pero necesito una persona para limpiar el piso el jueves. ¿Usted conoce a alguien?

–Sí, conozco a una chica muy maja y muy limpia que viene los martes al tercero derecha. Se llama Maruja. Pero no sé si tiene tiempo para trabajar en otra casa.

–¿Tiene su teléfono?

–No, no lo tengo. Pero puedo pedírselo a doña Irene[11], la señorita que vive en el tercero.

–Estupendo. Muchas gracias. ¿Espero aquí?

–Sí, un momento. Enseguida bajo.

Josefa sube y José se queda mirando la plaza. Está muy contento de poder vivir en el corazón de Madrid. A pesar del ruido y de los problemas de aparcamiento. No le importa. Irá en moto, en su enorme moto japonesa.

6

Las hermanas Muñoz están llegando a casa.

–Míralo, es ese –le dice Clara a María antes de entrar en el portal.

–¿Y quién es ese?

–El vecino del quinto. El guapo. El que va a ser mi novio.

–¡Ah!

Entran y lo miran fijamente. José las ve y se pone un poco nervioso: no está acostumbrado a que dos jovencitas lo miren así.

–Hola –dice Clara.

María se ríe.

–Hola –contesta José con timidez.

En ese momento llega doña Josefa y las jovencitas se van.

–Aquí tiene el teléfono, don... –Josefa no sabe cómo se llama.

–José. José Moyano.

–Yo me llamo Josefa, para servirle[12]. Bueno, pues aquí tiene el teléfono de esa chica. Maruja, se llama Maruja[13].

–Bueno, Josefa, muchas gracias por todo y hasta el lunes o el martes.

–Adiós, don José.

"Sí que es guapo –piensa Josefa–. Guapo y amable."

7

El lunes a primera hora llegan los pintores y un decorador, Julio del Valle, al quinto primera, el piso de José. Trabajan muchísimo durante tres días para poder terminar el miércoles por la noche. Arreglado, el piso ha quedado precioso.

Un poco antes de las diez llega José.

–Buenas noches, Josefa.

–Don José, ¿qué tal está? ¿Qué tal el piso?

–Muy bien, muy bien. Ha quedado muy bonito, precioso. Ya se lo enseñaré[14]. Mañana va a venir la chica esa a limpiar.

–¿Maruja?

–Sí, Maruja. ¿Puede darle la llave?

–Claro, don José. Yo se la doy.

–Mire, también le dejo 5000 pesetas para comprar todo lo que necesite en la droguería.

–Muy bien.

–Ah, mañana voy a estar toda la mañana en mi oficina. Aquí tiene el número de teléfono, por si Maruja necesita algo.

–De acuerdo, don José. Yo se lo digo todo: la llave, el dinero y el teléfono. No se me olvida.

–Muchas gracias.

–No hay de qué.

8

Cuando José sale, doña Carmela Sagasta entra, mira a José y le sonríe. A doña Carmela siempre le han gustado los hombres altos, guapos y elegantes. Detrás de ella, llega un perrito con un lazo colorado en la cabeza. Es el mejor compañero de doña Carmela, una señora mayor que vive sola. En su vida actual, el perrito es muy importante: tiene que sacarlo a pasear varias veces al día, tiene que comprarle comida, ocuparse de él y llevarlo al parque donde ella puede hablar con otros propietarios de perros que ya son amigos suyos.

Doña Carmela tiene unos setenta años, es bajita y delgada, con el pelo corto y completamente blanco, y siempre va muy bien vestida y arreglada. Es una andaluza muy simpática[15] y todo el barrio la conoce y la quiere. Vive sola y no tiene familia, pero siempre está de buen humor. De su pasado nadie sabe nada. Nada.

–¿Este hombre vive aquí, Josefa?

–Va a vivir dentro de unos días, doña Carmela.

–¡Qué suerte! –dice riéndose.

–¿Qué tal el paseo?

–Muy bien, muy bien. Hace un tiempo estupendo. Y ahora, a preparar la cena y a cenar.

–Eso, a cenar y a ver la tele. Que descanse.

–Hasta mañana. Que descanse usted también.

9

El jueves Maruja va al piso de José y limpia toda la casa. Empieza a las nueve de la mañana y termina a las nueve y media de la noche.

El viernes, a eso de las nueve, llega el camión con las cosas de José. La portera se fija en todo: en los muebles, las lámparas, los cuadros, y se da cuenta de que son caros y elegantes. "Todo esto no lo ha comprado solo, no señor. Lo ha comprado con una mujer. Me voy a enterar de todo. Tengo que enterarme", piensa Josefa dispuesta a ejercer perfectamente la profesión de portera.

Clara sube y baja todo el día para ver si se encuentra con José. Pero solo consigue ver parte de sus cosas: un sillón, una mesa, varias sillas, cajas con libros... Sus cosas, pero no él. Cansada de subir y bajar las escaleras, Clara decide quedarse un rato en casa: escucha música, fuma algún cigarrillo escondida en el lavabo y piensa en ese vecino que va a vivir cuatro pisos más arriba que ella. "Demasiado lejos para ir a pedirle sal[16] por las noches", piensa Clara.

A las siete de la tarde Irene vuelve del instituto, donde da clases de literatura española. Hoy está especialmente cansada porque ha tenido una larga y aburrida reunión de profesores para hablar del horario del curso que empieza[17]. Y, además, ha tenido que corregir exámenes, algo que no le gusta nada. Delante del portal ve un camión de mudanzas lleno de cosas. El portal y el ascensor también están llenos de cajas, colchones, utensilios de cocina y cuadros. "El nuevo vecino", piensa Irene. Y sube a su casa a darse un baño, prepararse una buena cena y leer un rato una novela o ver la tele o ponerse una película en el vídeo. A veces, después de cenar, habla por teléfono.

10

– ¡Diga!

–¿Está Maruja, por favor?

–Sí, soy yo.

–Ah, Maruja, soy José Moyano, de la Plaza Mayor.

–Ah, don José, encantada. Dígame, dígame.

–Llamaba para darle las gracias por todo lo que hizo el otro día y para ver si puede venir todas las semanas a mi casa.

–Bueno, sí, claro, pero depende del día.

–¿Qué día va usted al otro piso?

–¿A casa de la señorita Irene? Los martes. Los martes por la mañana. Estoy toda la mañana ahí.

–¿Y por qué no va a mi casa los martes por la tarde? ¿Le va bien eso?

–Sí, muy bien. Puedo empezar a las dos o dos y media.

–Perfecto. Pero, oiga, Maruja, yo le pago la comida.

–No, señorito[18], yo puedo llevar algo de casa.

–No, ni hablar. Se baja a Casa Paco, allí al lado, y come tranquilamente. ¿De acuerdo?

–Bien, gracias.

–¿Puede empezar el martes que viene?

–Sí, señorito, claro.

–Bueno, pues a eso de las dos y media la espero en casa para explicarle un poco lo que tiene que hacer.

–Muy bien, muy bien. A las dos y, media. Gracias y hasta el martes.

–Adiós, hasta luego[19].

11

El martes, a las dos menos cuarto, Maruja sale de casa de Irene. Baja a Casa Paco y pide una tapa de tortilla española[20] y una cerveza. A las dos y media en punto está llamando a la puerta del piso de José.

Un hombre alto, guapo y elegante, vestido con un moderno traje gris, ojos azules y pelo casi blanco abre la puerta.

–¿Don José? Soy Maruja, la asistenta.

–Hola, Maruja. Pasa, pasa, por favor. Ya conoces la casa.

Maruja entra en el salón.

–Supongo que puedo tutearte, ¿no?

–Claro, claro, don José.

–Llámame, José, mujer, que tampoco soy tan viejo[21].

–Bueno, don..., digo, José.

–Una pregunta: ¿además de limpiar la casa, puedes plancharme la ropa?

–Claro –Maruja prefiere no decir el nombre. No sabe decirlo si no dice "don"–. Y también puedo lavársela.

–No, no es necesario. Tengo lavadora. Eso es fácil. El problema es planchar.

–No se preocupe. Yo se la plancho.

–¿Y sabes cocinar?

–Sí; comidas normales, sí.

–Es que si algún día están mis hijos...

Maruja se sorprende. "Hijos. Tiene hijos." La portera no le ha dicho nada de eso. No sabe si está bien preguntarlo o no, pero lo pregunta.

–¿Usted tiene hijos?

–Sí, tengo tres. Pero bastante mayores. Y no viven conmigo. Viven con su madre. Pero vienen mucho a mi casa: a veces a cenar y a dormir, a pasar algún fin de semana...

"Está separado. Un hombre tan guapo, tan guapísimo y está separado...", piensa Maruja un poco frívolamente.

–Ah –continúa José–, y, como quedamos, comes abajo, en Casa Paco, ¿eh? Y yo lo pago. Todas las noches ceno ahí. Me conocen mucho.

–De acuerdo. Pero, de verdad, yo puedo traerme algo...

–No, ni hablar. ¿De acuerdo?

–De acuerdo, de acuerdo.

–¿Algo más? –le pregunta José.

–No, creo que no. Bueno, sí, ¿quién compra las cosas de limpieza? ¿Usted o yo?

–Ah, sí, es verdad... Pues no sé... Mejor tú. Yo te dejo dinero y tú las compras. Yo no sé qué necesitamos.

–Muy bien.

–¿Tienes llaves?

–Sí, las de la portera. Las tiene ella y me las deja los martes. Luego, cuando me voy, se las devuelvo.

–Muy bien. Tienes mi teléfono de la oficina, ¿verdad?

–Sí.

–Si necesitas algo o hay algo urgente, me llamas. Bueno, nada más. Espero que estés bien aquí.

–Gracias, don José.

12

"Siempre me va a llamar «don»", piensa José. Y se va a comer[22].

La primera semana de octubre los bares de la Plaza Mayor quitan los veladores. En otoño el sol calienta menos y a la gente no le apetece sentarse fuera. Sin sillas ni mesas entre los arcos, la plaza parece más grande, pero también más triste.

Clara y María, las hijas de los señores Muñoz, sí que están tristes porque han empezado las clases en el instituto. Clara hace tercero de B.U.P., y María, primero[23].

También Irene tiene que ir todos los días al instituto, pero ella a dar las clases. Trabaja en un instituto del barrio de Chamberí[24]. Normalmente va en autobús y, si tiene prisa, en metro. Pero, en realidad, muchas veces va y vuelve en taxi. Le encanta coger taxis. Son caros, menos caros que en otras ciudades europeas, pero los días en que Irene decide coger uno, el precio no le importa.

Los lunes, miércoles y viernes, al salir de clase, va a un gimnasio, uno de los más grandes de Madrid, que está bastante cerca del trabajo, en la Glorieta de Quevedo. Le gusta hacer gimnasia y jugar a *squash*. Los sábados por la mañana aprende a bailar sevillanas[25]. Le encanta bailar.

José está muy contento con su nueva casa: tiene mucha luz, es tranquila, no se oye el ruido de los coches y está en el centro. Todo está cerca: los cines, los teatros, los restaurantes más conocidos, los locales de moda, las tiendas... Por las noches, cuando sale a tomar una copa, nunca va en coche. Va a pie, andando tranquilamente. Los sábados por la mañana pasea por el barrio, busca dónde están los zapateros, el tinte, las perfumerías, librerías y supermercados, las viejas tiendas de ropa y las modernas. Y va al mercado de San Miguel[26] a comprar algunas cosas: fruta, yogures y bebidas, sobre todo, porque casi nunca come en casa.

Solo la portera, doña Josefa, está como siempre. Tiene que hacer todos los días lo mismo, excepto en agosto, que se va al pueblo. Es extremeña, de un pueblo cerca de Mérida[27]. A ella no le gusta mucho vivir en la Plaza Mayor porque siempre pasa algo: en Navidad, porque hay puestos con cosas para el Belén y el árbol; en San Isidro, porque hay actuaciones musicales; en Carnaval, porque hay fiestas, y en verano, porque están los Veranos de la Villa[28]. A doña Josefa no le gustan las manifestaciones populares. Dice que tanta gente ensucia mucho y que luego ella tiene que limpiar más. Pero, en el fondo, todo eso es una distracción para ella. Una distracción casi tan divertida como enterarse de la vida de los vecinos.

13

A Irene le encanta su profesión. Tiene que leer mucho para prepararse bien las clases y siempre está rodeada de jóvenes. Los viernes, sin embargo, está cansada. Dar clases es agotador. Ahora son las dos menos cinco. Dentro de poco empieza su fin de semana. Los viernes por la tarde no trabaja.

–Ah –les dice Irene a los estudiantes–, la semana después de las vacaciones de Navidad[29], el día 9 de enero, hay un examen.

–No, por favor. Un examen no –dicen todos.

–A mí tampoco me gustan los exámenes, pero hay que hacerlos... Y tenéis que leer una novela para el examen.

–¿Una novela? ¿Entera? –protesta la mayoría.

"Demasiados cómics y demasiada tele", piensa Irene.

–Sí, una novela. Yo he leído muchas y nunca me ha pasado nada. Leer es divertido, chicos. Más que estar delante de la pantalla de la tele.

–La tele es muchísimo mejor.

–Señorita[30], por favor, novelas, no...

–Para enero –sigue Irene– tenéis que leeros *La colmena*, de Cela[31].

–¿Y quién es ése? ¿Un veterinario? –pregunta uno de los chicos.

Irene se enfada.

–¿Tú sabes en qué año Colón descubrió América?[32]

No, seguramente no lo sabes.

–Claro que lo sé.

–Pues no me lo digas –le dice Irene medio en broma, medio en serio–, que a lo mejor te equivocas... Bueno, es la hora. Hasta el lunes. Buen fin de semana.

En la sala de profesores, Irene se encuentra con varios compañeros: Damián, el profesor de matemáticas, y Joaquín, el profesor de inglés. Son dos chicos jóvenes, altos, fuertes, simpáticos y bastante atractivos, pero Irene prefiere los hombres maduros.

–¿Vienes a tomar una copa con nosotros?

–Gracias, pero no tengo tiempo. Tengo que ir al gimnasio.

–Venga, mujer, cinco minutos. Vamos ahí al lado. A ese bar nuevo...

–De acuerdo. Pero solo un momento, ¿eh? El profesor de gimnasia se enfada si llego tarde.

Se ríen.

14

Irene no tiene novio. "Amigos, sí, pero novio, no", dice ella siempre. Hace muchos años que vive sola y no tiene ganas de discutir con nadie dónde poner el sofá, qué tomar para cenar, cómo ordenar las cosas y cuánto ha gastado cada mes. A Irene le gusta muchísimo salir de noche con sus amigos, ir a pasar fines de semana fuera de Madrid y hacer largos viajes en Semana Santa y en verano[33].

–¿Qué vais a tomar? –les pregunta Damián.

–Yo, una caña[34].

–Y yo, un vaso de vino blanco.

–Por favor –le dice Damián al camarero–, ¿nos traes[35] dos cañas y un vaso de vino blanco, muy frío?

–¿Algo para picar?

–Sí, unas patatitas y unos boquerones.

–Yo no quiero nada. Dentro de un rato tengo que hacer gimnasia.

–Tengo entradas para ir al Teatro Español el domingo. ¿Queréis venir?

–¿Qué hay?

–Una obra de un escritor joven... No sé cómo se llama.

–¿Y está bien? –pregunta Damián.

–Dicen que sí, que es divertida.

–Yo no puedo –dice Irene–. Tengo una cena con unos amigos. Pero gracias de todos modos.

–Y yo todavía no lo sé. ¿Te llamo a tu casa el sábado?

–Muy bien. Me llamas y quedamos.

–Bueno, chicos, tengo que irme. Buen fin de semana y hasta el lunes.

–Hasta el lunes, Irene.

–Cuidado con la gimnasia –le dice Joaquín riéndose–. No es buena para la salud.

15

Después de una hora de gimnasia, media hora de *squash* y un rato de sauna, Irene se siente mucho mejor. Se ducha, se viste, coge su bolsa y su raqueta, y se va a casa. Son las cinco y media y tiene hambre.

El taxi la deja muy cerca de la Plaza Mayor. A unos metros del portal, un perrito se le acerca e intenta morderle su bolsa. Es Blasillo, el perro de doña Carmela. Blasillo conoce a todos los vecinos de la escalera.

–Hola, Blasillo, hola. ¿Qué tal? ¿Qué tal? –le dice Irene.

El perro sigue saltando y moviendo la cola. Llega doña Carmela.

–Perdone, perdone, este perro...

–Tranquila, no molesta. Hasta luego.

–Adiós, adiós.

Irene entra en el portal.

–Hola, señorita Irene –saluda Josefa–. Tengo un paquete para usted.

Es un sobre muy grande. Viene de Alemania. Irene tiene una buena amiga allí. Siempre le manda libros, casetes, vídeos y regalos.

–Gracias, Josefa. Hasta luego.

–Hasta luego.

Cuando está cerrando la puerta del ascensor, Irene oye una voz de hombre:

–Un momento, un momento.

Y un cuarentón[36] alto y elegante entra en el ascensor. Va muy bien vestido y lleva una enorme bolsa de deporte y, dentro, una raqueta. Parece un ejecutivo[37], el típico ejecutivo dinámico, y a Irene los ejecutivos no le gustan. Sin mirarlo le pregunta:

–¿A qué piso va?

–Al quinto.

Irene lee una y otra vez el sobre. Los ascensores son incómodos y la gente siempre lee y lee todo lo que lleva en la mano o el cartelito colgado en la pared: "Peso máximo: 300 kilos; capacidad: 4 personas." En los ascensores siempre se lee, se mira al infinito, tarea muy difícil, o se observan los zapatos y la punta de los pies.

Al llegar al tercero, Irene coge su bolsa de deporte del suelo y sale. El chico le ayuda a abrir y cerrar la puerta.

–Adiós.

–Adiós.

"Parece interesante esta mujer. Un poco seria, pero interesante", piensa José antes de llegar a su casa.

16

–Bueno, nosotros nos vamos –les dice el señor Muñoz a sus hijas mayores–. Os quedáis solas todo el fin de semana, pero portaos bien.

–Sí, papá –le dice María.

–No te preocupes, papi[38] –asegura Clara.

–Hay mucha comida en la nevera... Si tenéis algún problema, llamáis a los abuelos. Nosotros os telefonearemos luego –les dice la madre.

El padre coge bolsas y maletas y busca algo:

–¿Qué buscas, Manuel?

–Las niñas. ¿Dónde están las niñas?

–Nos esperan abajo. Han bajado hace un rato.

Las otras tres hijas de los Muñoz están en el portal jugando con Blasillo, hablando con la portera y comiendo helados de colorines.

–Venga, niñas, al coche –les dice su padre cuando sale del ascensor.

–Adiós, Josefa. Adiós, Blasillo.

–¿Tienes las llaves, los papeles del coche, las ...? –le pregunta la señora Muñoz a su marido.

–Sí, lo tengo todo. Lo he cogido todo, todo.

–Muy bien, muy bien. Saca el coche del parking. Yo voy un momento al estanco.

–De acuerdo.

En el piso, Clara y María están contentísimas. Se han quedado solas. ¡Un fin de semana sin padres! Pueden fumar sentadas en el sillón, poner discos por la noche y hablar por teléfono con sus amigos muchísimo rato.

–Tenemos que tener cuidado. Ya verás cómo llaman por la noche.

–Eso, para vigilar.

–¡Padres!

17

José Moyano pasa un tranquilo fin de semana. Sus hijos están con su mujer y él ha decidido descansar porque últimamente ha tenido mucho trabajo.

El domingo por la mañana, como hace bastante sol, se va a leer los periódicos y a tomar el aperitivo al Retiro[39] y, luego, come en el Hispano, un restaurante de moda, lleno de profesionales solitarios como él.

Después de comer, ya en casa, intenta dormir una siesta[40]. Pero suena el timbre de la puerta. Se levanta y abre. En la puerta hay una jovencita rubia y simpática:

–Hola –dice Clara.

–Hola –saluda José.

La chica no dice nada más. José se está poniendo nervioso.

–¿Querías algo? –le pregunta.

–Sal –le dice ella, mirándolo fijamente a los ojos.

–Lo siento, pero no tengo.

–Bueno, pues harina.

–Tampoco tengo. No cocino.

–¿Y un cigarrillo?

–¿No eres un poco pequeña para fumar?

"¿Pequeña? ¿Pequeña yo? ¡Qué imbécil!", piensa Clara, muy enfadada.

–No tengo mucho tiempo –dice Clara tal como ha visto en las películas–. ¿Tienes un cigarrillo o no?

–Pues no. Lo siento. Tampoco fumo.

–Lástima. Bueno, pues nada. Chao[41].

–Adiós –dice José y cierra la puerta.

José no entiende nada de esa extraña visita. Esa chica allí, en su puerta, mirándolo de ese modo y pidiéndole cosas. Y, luego, se va enfadada. "En fin, es su problema...", y se pone a leer una novela policíaca de una detective, *Lola Lago*. Le encantan las novelas policíacas cuando está muy cansado y no tiene ganas de pensar. Ha leído casi todas las que están traducidas y todas las de autores españoles. Ahora lee las de esta detective, una extraña mujer en un mundo de hombres, y las encuentra interesantes y divertidas.

A las ocho y media pone la tele para ver el Telediario[42] y, luego, va a la cocina para poner una lavadora, como todos los domingos. Maruja plancha la ropa los martes. Por la ventana de la cocina oye a algunos de sus vecinos: esos ruidos típicos de alguien haciendo una tortilla, una madre persiguiendo a los hijos que no quieren acostarse, la voz de un locutor retransmitiendo un partido de fútbol, los timbres de algún teléfono y el ruido del agua de las bañeras, duchas y cocinas de toda la escalera.

José pone la ropa sucia en la lavadora y recuerda que tiene que lavar el equipo de gimnasia. Está en el recibidor. Abre el armario, saca la bolsa, la lleva a la cocina, la abre y entonces ve que dentro no está su ropa. Solo hay ropa de mujer.

No lo entiende. Es su bolsa, su raqueta de *squash*, pero la ropa y las zapatillas no son suyas. Son de mujer.

"Esto es muy extraño", piensa José. "La chica rubia esa.
Es una broma de esa chica. Seguro." José sabe que Clara
vive en la escalera, pero no sabe en qué piso. Mañana se
lo va a preguntar a la portera para, luego, hablar con esa
quinceañera impertinente. "Es pequeña para fumar, pero
mayor para jugar", piensa, enfadado, José. Mete la ropa
de deporte otra vez en la bolsa y lo deja todo al lado de
la puerta para no olvidarse.

Cena unas tostadas con salmón y un yogur. Y a las
doce se acuesta.

18

–Doña Josefa, ¿puede venir un momento, por favor?

La mujer que llama a la portera es Cecilia, una argentina que vive con su compañero Alfredo José, también argentino, en el piso de enfrente del de Irene, en el tercero izquierda. Ella es psicoanalista y tiene la consulta en su casa. Alfredo José trabaja en una editorial. Están en España desde la dictadura argentina[43] y ya han decidido quedarse a vivir en Madrid. "Volver después de tanto tiempo no es fácil", dicen siempre.

–Mire, Josefa, hoy día no estaré en casa. Voy a un Congreso. He llamado a mis pacientes para avisarles. Pero si viene alguno, le dice que llame mañana. ¿Está bien?

–Sí, que no va a estar hoy en casa y que la llamen mañana.

–Muchas gracias, Josefa.

–No hay de qué, doña Cecilia.

En ese momento llega José.

–Buenos días, Josefa. ¿Cómo va eso?

"Este hombre siempre está de buen humor", piensa Josefa.

–Bien, muy bien. ¿Y usted?

–Sorprendido.

–¿Por qué? ¿Hay algún problema, don José? ¿He hecho algo mal?

–No, no, qué va. Todo está muy bien. Pero quiero saber dónde vive una jovencita rubia, muy guapa y un poco revoltosa.

"¡Dios mío! ¡Esa es Clara!", piensa la portera, y dice:

–Creo que es Clara Muñoz, la hija del doctor Muñoz, un médico muy bueno, muy bueno. Viven en el primero. ¿Ha hecho algo malo?

–Malo, no. Me ha pedido sal, harina y tabaco. Y me ha escondido mi ropa de deporte, creo. Una broma, solo es una broma.

–¡Vaya! Cosas de la edad... Pues vive en el primero. ¿Va usted a subir a hablar con su padre?

–No, prefiero hablar con ella. ¿Puede llamarla? –Sí, claro. Subo un momento a buscarla.

–Muy bien. Espero aquí.

19

Cinco minutos después bajan Josefa y Clara. Clara parece menos contenta que ayer y no mira a José. No lo mira ni a los ojos ni a la cara. Se mira, con mucho interés, los zapatos.

–¿Cómo te llamas? –le pregunta José.

–Clara.

–Oye, Clara, lo del tabaco, la sal y todo eso no importa, pero lo de la ropa de gimnasia, sí.

–¿Qué ropa? –le pregunta Clara mirándolo por fin. José sabe que no miente.

–¿No sabes nada de mi ropa de deporte?

–No, de verdad. Yo no sé nada. Te lo prometo.

–Bueno, bueno, pues perdona. Me he equivocado. Pensaba que ayer, tú... Bueno, perdón, lo siento. Adiós, Clara, hasta otro día. Hasta pronto.

José se siente como un idiota. Se ha equivocado y ahora es él el que se disculpa delante de esa chica que lo mira inocentemente.

–Nada, nada. No te preocupes –le dice Clara mirándolo de nuevo como ayer. Y como no sabe su nombre, le dice:

–Hasta pronto, vecino del quinto.

20

Los martes Maruja termina cansada. Ocuparse de la casa de Irene no es muy difícil porque es bastante ordenada, pero tiene muchos papeles y libros encima de las mesas y muchos objetos por todas partes: platos de cerámica, fotos, recuerdos de sus viajes por China, Japón, Gabón, Marruecos... Y luego, después de comer, el desastre de José Moyano, un encanto de hombre, pero desordenadísimo: deja todos los jerséis sin doblar, todo por el suelo, nunca limpia ni un vaso y tira las toallas por cualquier parte. Eso sí: todos los domingos pone la lavadora y los martes deja la ropa seca preparada para planchar.

Encima de la mesa del comedor Maruja encuentra una nota:

Maruja: ¿Sabes dónde está mi ropa de deporte? No la encuentro por ninguna parte. Saludos.

José

Maruja cree que la ropa está en la bolsa de deporte, pero no sabe dónde está la bolsa. Al final, la encuentra en uno de los dormitorios, la abre y ve que dentro hay ropa de mujer. La mete otra vez, cierra y piensa: "Ajá... Don José hace gimnasia con una mujer..." Se siente como una detective. Va por toda la casa buscando otra bolsa, pero no encuentra ninguna. Se pone a pensar: "A ver... Esta es la bolsa de don José, pero dentro hay un chándal[44] azul y una camiseta blanca de mujer... ¿Dónde está, pues, la ropa de don José?"

Vuelve a la cocina y mira dentro de la lavadora. No hay nada.

"Un momento, un momento... Irene tiene un chándal igual que este y la bolsa... Sí, sí, la bolsa también es igual."

Abre su bolso, coge las llaves de casa de Irene y baja un momento. En el armario del dormitorio de los invitados está la bolsa de deporte. Maruja la abre. Está llena de ropa de hombre. La ropa de José. "¿Cuándo se han conocido estos dos? ¿Por qué no me han dicho nada? ¿Van a jugar juntos? Me tengo que enterar."

Maruja está contenta. Irene y José le gustan mucho y no entiende por qué viven solos, por qué no pueden tener un compañero o una compañera, por qué no pueden intentar ser felices como ella con su Manolo... "Y si se casan, yo no voy a perder el trabajo."

Sube al piso de José, pone la ropa en la lavadora. Luego, baja a casa de Irene a dejarle sus cosas.

Antes de irse, deja una nota a José, con una letra no muy buena, porque Maruja sabe escribir, pero escribe muy pocas veces.

21

A José le encanta llegar los martes a casa porque Maruja lo deja todo ordenado, limpio, la ropa en los armarios y, a veces, le prepara la cena.

En el espejo del baño encuentra una nota:

Don José:

Su ropa estaba en casa de la señorita. He subido la suya y he bajado la de ella. Y he lavado la de los dos.
Hasta pronto.

Maruja

José no entiende lo que significa. "¿Qué señorita? ¿Qué hace mi ropa en otra casa? ¿Bajar, adónde? ¿Ha venido una mujer a mi casa? ¿Y Maruja cómo lo ha sabido? ..." José está muy cansado y no tiene ganas de llamar a Maruja por algo tan poco importante. Ya se lo explicará otro día. "Mañana, al gimnasio. Lo necesito."

22

El siguiente martes Irene no tiene clase porque sus alumnos han ido de excursión. A las nueve de la mañana prepara una cafetera grande porque viene Maruja y a las dos les gusta mucho el café.

Desayuna y se mete en la ducha. Se viste, baja un momento a comprar el periódico y regresa a casa. Maruja ya está fregando el salón.

–Hola, Irene, me alegro de verla. ¿Qué tal está?

–Muy bien, Maruja, muy bien. Y hoy, además, sin clases.

–Me alegro.

–¿Te has tomado el café?

–Sí, gracias. Ya lo he tomado.

Maruja quiere preguntarle por José, saber qué ha pasado, pero no sabe cómo. Como siempre, al final pregunta.

–¿Y qué le parece don José?

–¿Cómo dices?

–Que qué tal con don José.

–¿Quién es don José?

–El vecino del quinto. Donde voy los martes por la tarde, después de trabajar aquí.

–Ah, no sé. No lo conozco. ¿Cómo se llama, dices?

–José. José Moyano –contesta Maruja sin entender nada.

"La ropa de Irene arriba, la de José abajo y no se conocen...", piensa, extrañada, Maruja.

–¿Y qué tal es?

–Ah, muy majo. Es muy simpático. Un poco desordenado, pero simpático.

–¿Y a qué se dedica?

–No lo sé muy bien. Trabaja en una oficina. Me parece que es el director.

–Ah.

Maruja conoce muy bien a Irene y comprende que es verdad que no conoce a José.

–Pero, entonces, Irene, ¿usted no lo conoce?

–No, ya te lo he dicho.

–Es que su bolsa de gimnasia estaba en casa de don José.

–¿Qué bolsa? ¿La mía?

–Sí, sí. Con su ropa: su chándal, su camiseta, sus zapatillas. Todo.

–Pero si está todo aquí...

–Sí, porque yo lo bajé el martes pasado.

–No lo entiendo.

–Yo tampoco. Y... –Maruja empieza a hablar, pero no sigue.

–Dime.

–No, nada.

–Venga, mujer, ¿qué más?

–Pues que su ropa, la de don José, estaba en esta casa...

–¿En esta casa?

–Sí. Yo la subí el martes pasado.

–Ahora sí que no entiendo nada. Nada.

23

El sábado por la mañana Irene va a la Caja[45] y, luego, a hacer unas compras. Llega al portal muy cargada.

–¿Le ayudo, señorita Irene? –le pregunta la portera.

–No se preocupe, Josefa. No pesa mucho.

Josefa le abre la puerta del ascensor.

–Un momento, por favor. No cierre –grita José desde el portal. Corre un poco y entra en el ascensor–. Gracias.

–¿A qué piso va? –le pregunta Irene sin recordar su otro viaje en ascensor porque no lo miró.

–Al quinto.

Ahora sí que Irene lo mira fijamente.

–¿Vives aquí?[46].

–Sí, en el quinto derecha.

–Ah, y Maruja va a tu casa los martes por la tarde.

–Sí, ¿cómo lo sabes?

–Porque viene a la mía los martes por la mañana.

–O sea, que tú eres Irene.

–Sí. Y tú, José. Don José.

–Exacto –dice José riéndose por el "don".

–¿Y puedes decirme qué hacía mi ropa de deporte en tu casa?

–¿Y la mía en la tuya? –y sigue riéndose.

–¿Brujas?

–Fue en el ascensor. El viernes pasado subimos juntos en el ascensor.

–¿Sí? –le pregunta Irene.

–Lo recuerdo perfectamente. Yo llevaba mi bolsa de deporte.

–Y yo, la mía... –Irene se ríe aún más–. Y al salir yo cogí la tuya.

–Y yo la tuya.

–Vaya, vaya...

Hace rato que han llegado al tercero.

–Un día podemos hablar más despacio de todo esto –le propone José a Irene, como un actor de Hollywood.

–Tal vez –le contesta ella como Lauren Bacall en *Tener o no tener*.

–En serio, Irene, ¿por qué no vamos a cenar un día?

–De acuerdo. Llámame.

–¿Y por qué no quedamos esta noche? ¿Tienes algo que hacer?

–No, nada especial. De acuerdo. ¿A qué hora quedamos?

–¿Te va bien a las nueve y media?

–Perfecto. ¿Me vienes a buscar a casa?

–¿Qué puerta es?

–Derecha. Tercero derecha.

–Muy bien. Hasta la noche.

–Hasta luego –se despide Irene.

José sube silbando los dos pisos hasta el quinto. "Interesante y con sentido del humor." Y luego piensa ingenuamente: "Pobre Clara. Ella solo quería sal y un cigarrillo."

24

Doña Carmela está hablando con la portera y el perro está jugando en el portal. Del ascensor sale Irene, vestida de negro, muy elegante, y detrás de ella sale José, también muy bien vestido. Hablan y se ríen.

–Adiós –les dicen a las dos señoras.

–Adiós.

Las dos mujeres miran a la pareja y, sobre todo, a José.

Cuando salen del portal, la portera le dice a doña Carmela:

–Mira qué lista Irene...

–Muy lista, muy lista. ¿A usted también le parece un hombre muy guapo?

–Sí, señora. Guapísimo. Pero ella tampoco está nada mal.

–No, nada mal. No está nada mal. Pero... –doña Carmela siempre prefiere a los hombres– él está mejor, mucho mejor.

–En fin... –dice la portera.

–Bueno, Josefa, hasta mañana.

Doña Carmela y Blasillo entran en el ascensor.

25

Irene y José van a un restaurante muy bueno cerca de Cibeles[47].

–¿Qué van a tomar los señores?

–Para mí, espárragos con mayonesa, de primero, y merluza a la vasca, de segundo –dice Irene.

–Y yo, crema de espinacas y besugo al horno.

–¿Para beber? –les pregunta el camarero.

–¿Pedimos un rioja?[48].

–Muy bien.

José mira la carta de vinos y pide un Rioja blanco, fresco y seco. Le pregunta a Irene:

–¿Te apetece un poco de jabugo[49] de aperitivo?

–Perfecto, pero no mucho, y una cerveza.

–Por favor, tráiganos una ración de Jabugo y dos cervezas.

Viven en la misma escalera, tienen la misma asistenta y una bolsa de deporte idéntica, pero apenas se conocen:

–¿A qué te dedicas, Irene?

–Doy clases de literatura española en un instituto.

–¿De literatura? ¡Qué interesante! Me encanta la literatura.

–¿Y tú qué haces?

–Yo tengo una productora de vídeos.

–Hombre, eso es divertido.

–A veces, solo a veces. ¿Y desde cuándo vives en la Plaza Mayor?

–Hace ya dos años. Y me gusta. Me gusta el piso y me gusta vivir en el centro.

–A mí también. Me encanta.

–¿Te sientes bien en tu piso nuevo?

–Sí, muy bien. Estoy encantado. Tú debes conocer a todos los vecinos, ¿no?

–No, a todos no. Conozco a la portera, claro. Todo el mundo conoce a Josefa. Y ella conoce a todo el mundo. Pero es muy buena persona y muy amable. También conozco a la señora del perro, que es muy simpática; a unos argentinos, que ella es psicóloga...

–Ah, es bueno saberlo...

–A un matrimonio que tiene cinco hijas...

–Sí, las he visto alguna vez –dice José sin explicar la historia de Clara.

–Hay también un médico catalán, alto, grande y sim-patiquísimo, que se llama Ricardo Solá o Solar o algo así y que solo tiene un problema...

–¿Un problema?

–Sí. Se dedica a tocar la batería en sus horas libres.

–¡Cielos! ¿Y en qué piso vive? –pregunta José, temién-dose lo peor.

–En el cuarto, justo debajo de tu piso.

–¡Qué horror! Todavía no lo he oído nunca.

–Lo oirás. Eso sí, toca muy bien. Bueno, y luego hay un piso de estudiantes, que cambian cada año. Y poco más. Creo que hay también un matrimonio de unos cin-cuenta años y otra pareja con uno o dos niños pequeños, pero casi no los veo nunca. Tenemos horarios distintos.

–A mí me parece que viven muchas mujeres en esta escalera.

–¿Sí? ¡No! ¿Por qué lo dices?

–Pues porque la señora del perro, la portera y una o dos de las chicas del primero están siempre en el portal y se dedican a mirarme fijamente todo el día.

–Ah, ¿sí? Eso es que tal vez les gustas.

–Bah. Tonterías.

Se callan. José es un poco tímido para estas cosas.

–¿Sabes que una de las chicas del primero me pide sal y cigarrillos?

Irene se ríe:

–Pues hay muchos pisos entre el primero y el quinto...

–Pues sí...

–"Cosas veredes, amigo Sancho"[50].

A Irene le empiezan a gustar los ejecutivos. O, quizá, este ejecutivo únicamente.

A Clara no le ha gustado nada verlos salir desde el balcón y ha decidido que va a hacer todo lo posible para enamorar a José.

26

El tercer martes de diciembre, a media mañana, suena el teléfono en casa de José.

– ¡Diga! –dice Maruja después de apagar el aspirador.

–¿Maruja? Soy José.

–Hola, don José. ¿Qué tal?

–¿Sabes? Ya he entendido lo que pasó con mi bolsa de deporte.

–Ah, ¿sí? –dice Maruja y piensa: "A ver si lo entiendo yo."

–Irene y yo tenemos dos bolsas iguales...

"La llama Irene. No dice: la vecina del tercero, no. Dice: Irene."

–Un día subíamos los dos en el ascensor...

–¿Y?

–Las bolsas estaban en el suelo y, al salir, Irene cogió la mía y, luego, yo la suya...

– ¡Vaya! ¡Qué lío!

–Sí, un lío. Pero, bueno, así nos hemos conocido un poco...

–Sí, eso sí.

–Es muy maja Irene, muy maja y muy inteligente.

–Sí, sí que lo es.

–Maruja, ¿tú sabes qué le puedo regalar para Reyes?[51].

"¡Caramba! –piensa Maruja–. Este está enamorado."

–Libros no, que tiene muchos.

–No, libros, no. Quiero algo personal: un bolso, una blusa...

–¿Por qué no le regala otra bolsa de deporte?

–Muy buena idea, Maruja. Otra bolsa de deporte. Para no tener problemas.

Pero problemas va a tener. Y muchos.

NOTAS EXPLICATIVAS

(1) En España se suele dejar propina en bares y restaurantes y también a los botones de los hoteles y a alguien que, como en este caso, ha hecho un servicio que se considera especial.

(2) **Ligarse** a alguien significa iniciar una relación amorosa.

(3) **Asistenta:** en muchos hogares españoles trabaja una mujer que ayuda a la limpieza de la casa unas cuantas horas semanales.

(4) En la Plaza Mayor de Madrid hay dos edificios muy característicos: la **Casa de la Panadería** y la Casa de la Carnicería. Todo el conjunto arquitectónico pertenece al llamado Madrid de los Austrias. La Plaza Mayor tiene forma rectangular y está completamente porticada. Se construyó entre 1617 y 1619. La Plaza Mayor existe en casi todas las ciudades y pueblos españoles y es, tradicionalmente, el núcleo de la ciudad y el lugar donde se celebra todo tipo de acontecimiento ciudadano.

(5) **Libro de bolsillo**: en la mayoría de los quioscos españoles, además de revistas y periódicos, se venden estos libros, editados de forma sencilla y de bajo precio.

(6) Es normal, en relaciones jerárquicas de cierta confianza, que el superior tutee y que el inferior lo llame de "usted", pero usando el nombre propio, sin ninguna fórmula de tratamiento.

(7) *Diario 16* era uno de los periódicos de mayor tirada en los años 80, pero se dejó de editar en 2001.

(8) **Justo:** cuando al pagar se entrega la cantidad exacta, suele utilizarse esta expresión.

(9) En español es socialmente necesario no aceptar inmediatamente un regalo imprevisto o una invitación.

(10) En el centro de la Plaza Mayor está la estatua de Felipe III a caballo.

(11) **Don/doña** es una fórmula respetuosa de tratamiento. Puede usarla una portera aplicada a sus vecinos, al igual que los vecinos referida a ella, por ejemplo.

(12) **Para servirle:** es una expresión de respeto, usada, sobre todo, por personal subalterno y frecuente en el marco rural; cada vez se utiliza menos.

(13) **Maruja** es una forma popular y afectiva del nombre María.

(14) Una costumbre que se va perdiendo es la de que el nuevo inquilino enseñe su piso a los porteros y a algunos vecinos.

(15) Una característica de los andaluces es su simpatía.

(16) En España es frecuente, aunque cada vez menos, pedir pequeños favores a los vecinos. El ejemplo de la sal es el más representativo.

(17) El curso escolar empieza a principios de septiembre para la enseñanza primaria y a finales de septiembre o principios de octubre para la secundaria. Los institutos de Enseñanza Media son los centros que imparten enseñanza secundaria y los profesores que trabajan en ellos son licenciados universitarios que han ganado unas oposiciones para trabajar en estos centros.

(18) **Señorito**: es frecuente que las asistentas se dirijan a sus superiores con esta forma de tratamiento. Actualmente, ya no se usa.

(19) En Madrid se ha generalizado el uso de **hasta luego** como despedida, incluso de aquellas personas que difícilmente se van a volver a ver.

(20) La **tortilla española** es un plato típico que consiste en patatas cortadas muy finas y fritas y, luego, mezcladas con huevo y cocinadas a modo de tortilla.

(21) Muchas veces se identifica el uso de "usted" o de "don" con la edad. Para pedir que no se use ese tratamiento, suele emplearse esta expresión, **que ya no soy tan viejo.**

(22) La comida, llamada en Hispanoamérica "almuerzo", es en España entre las dos y las tres de la tarde.

(23) La enseñanza secundaria se llamaba, en España, B.U.P. (Bachillerato Unificado Polivalente), duraba tres años y, luego, se realizaba un Curso de Orientación Universitaria (C.O.U.), antes de acceder a la Universidad. La enseñanza primaria, E.G.B. (Enseñanza General Básica), duraba ocho años. Actualmente, la Enseñanza Básica se divide en Educación Primaria, que dura seis años ,y Educación Secundaria Obligatoria (E.S.O), que dura cuatro años. A continuación, se puede cursar Bachillerato, que dura dos años o Ciclos Formativos de Grado Medio, que son también de dos años. Para acceder a la Universidad hay que aprobar una única prueba homologada a la que podrán presentarse los alumnos que han aprobado el Bachillerato.

(24) Es uno de los barrios burgueses de Madrid y fue construido a finales del siglo XIX.

(25) De los diversos bailes y cantes que componen el flamenco, el más popular son las **sevillanas.**

(26) El **mercado de San Miguel**, situado junto a la Plaza
Mayor, en pleno centro de Madrid, fue construido a
principios del siglo XX. Es uno de los más antiguos y
típicos de la ciudad.

(27) Extremadura, comunidad autónoma compuesta por dos
provincias: Cáceres y Badajoz, es una región pobre, por
lo que muchos de sus habitantes emigraron a regiones
más ricas. En **Mérida** hay un teatro romano del que se
dice que tiene la mejor acústica del mundo.

(28) Los **Veranos de la Villa** es una iniciativa del Ayunta-
miento de Madrid. Durante los meses de julio y agosto
se organizan diversas actividades culturales y de distracción para los ciudadanos. Muchas de ellas tienen lugar
en la Plaza Mayor. San Isidro (15 de mayo) es el patrón
de Madrid y durante varios días se celebran las fiestas
de la ciudad.

(29) En la enseñanza, las vacaciones de **Navidad** son del 22
o 23 de diciembre al 8 de enero.El día 6 de enero se
celebra en España el día de los Reyes Magos. Tres
Reyes de Oriente que la noche del 5 dejan regalos a los
niños en sus casas. Después del día de Navidad los
niños escriben una carta a los Reyes para pedirles lo
que quieren.

(30) Es costumbre que los estudiantes de primaria llamen
señorita a sus profesoras. Aquí tiene un valor irónico.

(31) Camilo José **Cela**, Premio Nobel de Literatura, es uno de los más importantes escritores españoles contemporáneos. *La colmena* es una de las primeras obras aparecidas durante el régimen franquista que intenta hacer una crítica de la situación social en la postguerra.

(32) En España se considera una muestra de incultura ignorar la fecha del descubrimiento de América (12 de octubre de 1492).

(33) Las vacaciones de **Semana Santa** se celebran la semana de Pascua, por lo que la fecha varía de un año a otro.

(34) Una **caña** es un vaso de cerveza no embotellada, de barril.

(35) En España es frecuente tutear a los camareros si tienen una edad semejante a la del cliente o se los conoce mucho.

(36) Cuarentón/cuarentona es una persona que tiene entre 40 y 49 años. Se usa en sentido despectivo, aunque muchas veces tiene un sentido positivo, como en este caso.

(37) Así se llama en España a los jóvenes directivos que tienen una buena posición económica, son dinámicos y agresivos en el trabajo y una de sus máximas preocupaciones es el ascenso social.

(38) **Papi** es una manera afectiva de dirigirse a los padres cuando los hijos son pequeños.

(39) El **Retiro** es un gran parque situado en el centro de
Madrid. En él hay numerosos museos, salas de exposi-
ciones y espacios dedicados al deporte, a la música y al
ocio. Es muy conocido su estanque, en el que muchos
madrileños van a remar los sábados y domingos.

(40) En el extranjero es frecuente creer que en España se
duerme la **siesta** habitualmente. En las grandes ciudades se está perdiendo esta costumbre, tal vez reservada
a las personas con horario intensivo. Es algo más frecuente en el campo. Los fines de semana, sin embargo,
muchas personas duermen la siesta.

(41) Despedida muy frecuente entre jóvenes españoles. Es,
sin embargo, habitual en muchos países de
Hispanoamérica.

(42) El **telediario** es el noticiario televisivo que se emite a las
tres de la tarde (15 h) y a las ocho y media (20.30 h) y
que tiene una gran audiencia. Actualmente, estos horarios varían según en la cadena en la que se emitan.

(43) El 24 de marzo de 1976 los militares dieron un golpe de
estado en Argentina, que acabó con la democracia y el
sistema parlamentario. Empezó una época de sangrien-
ta dictadura que provocó el exilio de muchas personas,
buena parte de ellas, a España.

(44) **Chándal**: conjunto de chaqueta y pantalón largo de
deporte.

(45) Establecimiento parecido a los bancos, pero sin fines lucrativos, donde se puede depositar dinero en concepto de ahorro y por ese dinero se percibe un pequeño interés. Cada día hay, no obstante, menos diferencias entre bancos y **cajas**.

(46) Entre profesionales de mediana edad es frecuente tutearse desde el primer momento.

(47) La **fuente de Cibeles** es uno de los monumentos más representativos de la ciudad. Se construyó entre 1777 y 1792. Está en el cruce de dos grandes avenidas: el Paseo de Recoletos y la calle de Alcalá.

(48) El **rioja** es un vino producido en las provincias de Logroño y Álava. Es el vino español más conocido internacionalmente.

(49) Con las patas del cerdo, después de salado y "curado", se obtiene el jamón serrano, típico español. El de **jabugo**, muy apreciado, procede de esa localidad andaluza de la provincia de Huelva.

(50) Esta frase del **Quijote**, bastante usada entre españoles cultos, se emplea para indicar que en la vida se pueden ver muchas cosas sorprendentes.

(51) Normalmente el día de Reyes (ver nota 29) se regalan cosas a las personas con las que se tiene una relación familiar o íntima.

¿LO HAS ENTENDIDO BIEN?

1

Marca si es verdad o mentira.

	verdad	mentira
1. El piso es exterior.	☐	☐
2. La escalera es bastante fea.	☐	☐
3. El piso tiene cuatro dormitorios.	☐	☐
4. La portera piensa que el piso está bien para una persona sola.	☐	☐
5. El señor decide comprar el piso.	☐	☐

2 y 3

Relaciona.

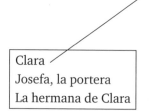

Clara
Josefa, la portera
La hermana de Clara

- piensa que José es muy guapo.
- prefiere a los hombres mayores.
- prefiere los hombres de veinte o veinticinco años.
- dice que no está casado.
- piensa que está casado.
- piensa ligarse a José.
- piensa que el piso es demasiado grande para una persona sola.
- es la mayor de cinco hermanas.
- tiene dos años menos que la mayor.

4

Contesta a estas preguntas.

1. ¿A qué se dedica Maruja?

_____

2. ¿Qué día trabaja en casa de Irene?

_____

3. ¿Qué le gusta hacer?

_____

4. ¿Dónde vive?

_____

5. ¿Está casada o soltera?

_____

6. ¿Cómo trata a Irene: de tú o de usted?

_____

7. ¿Qué le regala Irene a Maruja?

_____

5, 6 y 7

Contesta a estas preguntas.

1. ¿Qué está haciendo la gente en la Plaza Mayor?

2. ¿Cuándo van a ir los pintores a casa de José?

3. ¿Cuándo piensa llevar sus cosas al piso?

4. ¿Qué necesita José?

5. ¿Cuál es el apellido de José?

6. ¿Cómo consigue José el teléfono de Maruja?

7. ¿Qué le deja José a la portera para Maruja?

8. ¿Le gusta a José cómo ha quedado el piso arreglado?

8

Relaciona.

A doña Carmela
Doña Carmela
La hermana de Clara

- siempre le han gustado los hombres guapos.
- es andaluza.
- tiene unos setenta años.
- le gusta mucho ocuparse de su perro.
- no es muy alta.
- no tiene familia.
- siempre está de buen humor.
- nunca habla de su pasado.
- le gusta hablar con otras personas que también tienen perros.

9

Escribe:

–cinco nombres de objetos de José:

_____

–dos cosas que hace Clara:

_____

–dos cosas que ha hecho Irene hoy:

_____

–dos cosas que hace normalmente Irene por las noches:

_____

10 y 11

Lee un momento este texto para saber si corresponde a estos dos capítulos.

"José le propone a Maruja trabajar en su casa todas las semanas. Deciden que ella va a ir los martes, después de las 2, y que, primero, antes de empezar a trabajar en casa de José, va a comer en Casa Paco. La comida la va a pagar José. También deciden que Maruja va a planchar la ropa y que, a veces, va a hacer la cena. Las llaves las tiene la portera y se las deja a Maruja los martes. José le explica que está separado, que tiene tres hijos, pero que viven con su ex mujer."

12

¿Te parece que todas las frases de este texto dicen lo mismo que lo que pone en la novela? Lee este texto y tacha lo que sea diferente.

"En primavera y verano hay veladores en la Plaza Mayor, pero los quitan en octubre porque hace más fresco y la gente prefiere quedarse dentro de los bares.

A finales de septiembre empiezan las clases. Irene es profesora en un instituto y Clara y María son estudiantes de B.U.P.

Irene siempre va en taxi al Instituto porque los taxis no son muy caros. Todos los días después de las clases va a un gimnasio que está cerca del Instituto.

José está contento de vivir en el centro: todo está cerca y su casa es tranquila y luminosa.

A doña Josefa, la portera, le gusta mucho vivir en la Plaza

Mayor porque hay muchos acontecimientos populares, En verano se va a su pueblo."

13 y 14

Contesta a estas preguntas.

1. ¿Qué problema tiene Irene con sus estudiantes?

2. ¿En qué año Colón descubrió América?

3. ¿Qué cosas le gusta hacer a Irene?

4. ¿Van a ir juntos al teatro Damián y Joaquín?

15

Contesta a estas preguntas.

1. ¿Qué hace Irene después del *squash* y la sauna?

2. ¿Qué le da la portera?

3. ¿Quién sube en el ascensor con ella?

4. ¿Qué hacen en el ascensor?

5. ¿Qué tipo de personas no le gustan a Irene?

16 y 17

Relaciona.

Los Muñoz Clara Clara y María José A José A Clara y María	• se van de fin de semana. • les gusta quedarse solas en casa. • le gusta leer novelas policíacas. • van a telefonear más tarde. • va al Retiro y come en un restaurante. • sube a pedir unas cosas. • piensa que María es pequeña para fumar. • pone una lavadora. • no fuma. • no encuentra su ropa de deporte. • van a poner discos toda la noche. • se acuesta tarde.

18 y 19

Contesta a estas preguntas.

1. ¿De qué nacionalidad son Cecilia y su compañero?

2. ¿A qué se dedican?

3. ¿Con quién quiere hablar José?

4. ¿Qué le pregunta a ella?

5. ¿Qué le contesta ella?

6. ¿Cómo se siente José? ¿Por qué?

20

Señala si es verdad o mentira.

	verdad	mentira
1. Irene es muy desordenada.	☐	☐
2. José hace gimnasia con una mujer.	☐	☐

3. La ropa de Irene está en casa de José. ☐ ☐
4. José e Irene se han conocido hace tiempo. ☐ ☐
5. Maruja no sabe escribir. ☐ ☐

21 y 22

Contesta a estas preguntas.

1. ¿Por qué no entiende José la nota de Maruja?

_____

2. ¿Por qué no entiende Irene a Maruja cuando pregunta qué le parece don José?

_____

3. Maruja piensa que Irene no le dice la verdad, ¿no? ¿Por qué?

_____

23, 24, 25 y 26

Contesta a estas preguntas.

1. ¿Dónde se encuentran Irene y José?

_____

2. ¿A qué hora quedan para ir a cenar?

_____

3. ¿Dónde quedan?

4. ¿Dónde cenan?

5. ¿Qué toman?

6. ¿A quién conoce Irene?

7. ¿Cuál es el problema con el médico catalán?

8. ¿Qué va a regalarle José a Irene?

9. ¿Qué piensa Maruja de José?